의 연화

40

MIZUHO KUSANAGI

새벽의 연화 40 [목차]

The girl standing in the blush of dawn.

제229화 나의 것 ················· 3

제230화 독이 퍼지다 ················· 33

제231화 불타는 꿈 ················· 59

제232화 꿈이 들어맞다 ················· 87

제233화 발 벗고 나서다 ················· 117

제234화 호혈호자(虎穴虎子) ················· 145

비룡성에
불이 난다고요?

설령 그게 방화라 해도 범인의 침입을 막는 건 저희가 할 일입니다.

리리 님. 아랫마을의 화재 소식은 들었습니다만.

막는다니… 물의 부족장의 따님께서요?

상대는 남계의 암살 집단이야. 이미 침입했을 가능성이 높아.

암살 집단? 그 정보는 어디서…

일단 안으로 들여보내 줘. 놈들을 막아야 돼.

재벽의 연화

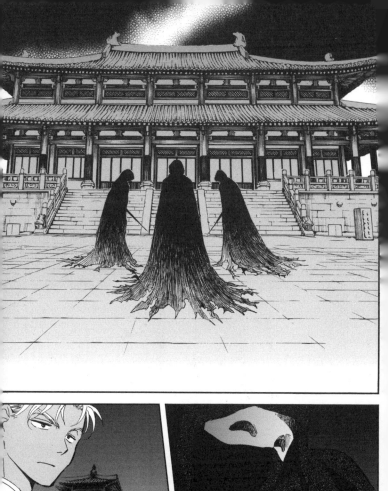

오셨군요
....

아가씨
...

하지만
이미
죽었죠.

훌륭한
검객
이었습니다.

휴리
아저씨...
비룡성을
지키고
있었구나.

반항하길래
죽였습니다.

그
소년도

윤은
어디
있어?!

저놈들은
너를 화나게 해서
혼란에 빠트리려는
속셈이야.

거래 대상을
함부로
죽일 리 없어.

털끝 하나라도
건드렸다간
이 세상에서 제일
무서운 분들을
적으로 돌리게
될 거예요.

운을
죽였다니,
거짓말이라도
용서 못 해.

그럼,
어디 있지?

그 상처는
누구한테
당한 거야?

그쪽도
여유로운 척하면서
사실은 꽤나
절박한 모양인데?

이거라면…!

역시 휴리와 싸운 게 타격이 컸구나.

움직임이 둔해.

승산이 있다.

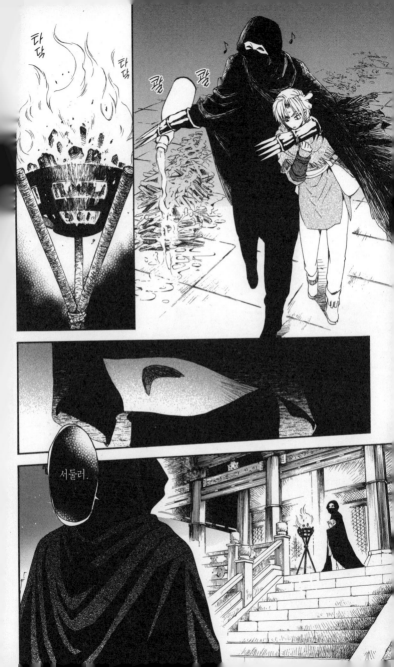

마무리는 바로 여기다.

아름답게 불타고 있더구나.

이제 곧 붉은 용의 성이 시커먼 불길에 휩싸여 무너질 것이다.

아랫마을을 보고 왔다.

늦게 오셨으면서 성미가 급하시군요.

오늘 밤 죽는다.

붉은 용은

까불지 마.

어떤
상황이든
이겨 내
왔잖아?

뒤적

신중하게

신중하게.

내가
죽으면

모두의 고삐를
쥘 사람이
없어질 거야.

적이

다른 곳으로
주의를 돌리는

애송이.

윤, 이쪽이야.

훌륭해요, 윤!

빠져나온
거야?!

윤~!!

응.

도로모스
인가?

맞아.
이미 불을
질렀어…

도와줘!
지금
아유라와
테토라가
싸우고 있어.

어머~
기특해♡

타
딱

타
딱

타닥

타다

아유라와
테토라는?!

비룡성이
….

이 자식
….

나한테
맡겨.

똑
똑

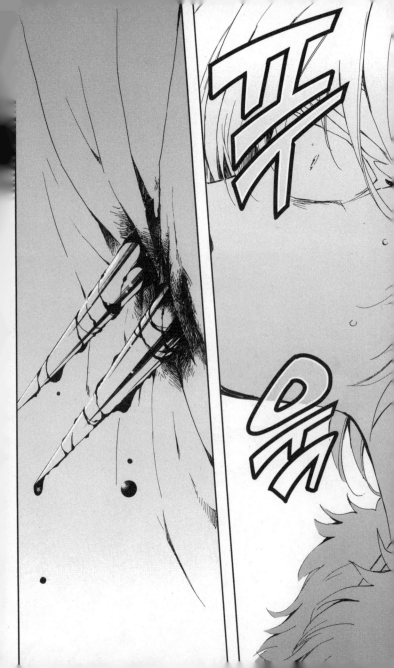

…차골 전하. 여긴 왜….

기르던 고양이를 데리러 왔지.

꺼림칙해.

이 사람이

남계의 최고 권력자…

차골…

소소한 유흥 이라고 할까.

도로모스로 위장해서 아랫마을을 누비는 것도 재미있구나.

남계에서 파견된 사절단…

분명 란탄 이라면

사절단에 들어가게 해 달라?

연화가 독살했다고 의심을 받았던…?

그럼, 란탄을 죽여라.

흐음… 나를 돕겠다고?

네.

저는 사절단의 호위도 할 수 있어요.

전하께 도움이 되고 싶어요.

왜지?

사람을
죽이고
배신해도

기꺼이 맞아 줄
주인은
나밖에 없을 터.

나는
네가 돌아올
곳이다.

…차골 전하.

목숨을
구걸하는
건가?

뭐지,
바알 장군?

그러니
이렇게 감사를
표하며

저는…
전하께서
베풀어 주신 은혜를
한시도 잊은 적이
없습니다.

작별 인사를
드립니다.

죽이면
안 돼!!

당신도
동포를
죽였을
텐데요.

무슨
말씀을
하시는
겁니까,
아가씨?

― 제발…

지옥 밑바닥에
내가 원하는 것이
있었다.

한순간이나마
원하던 것을
가질 수 있었다.

저...
돌아갈게요.

전하와
함께
갈 테니까
....

그거면
됐어.

충분해.

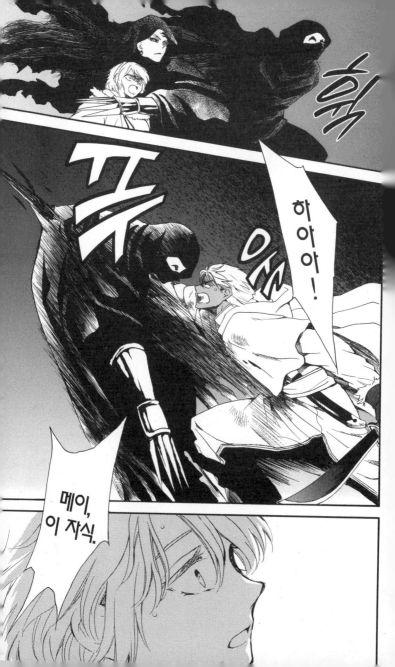

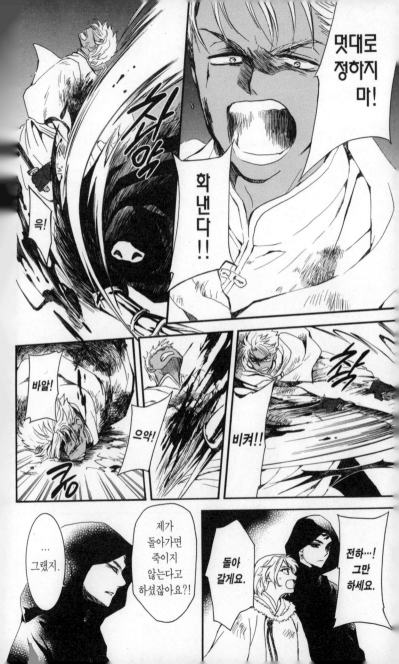

비룡성도….

…비룡성으로
돌아
가겠다고요?

제230화/END

제231화「불타는 꿈」

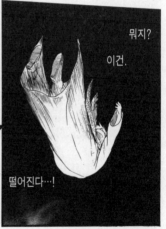

뭐지?

이건.

떨어진다…!

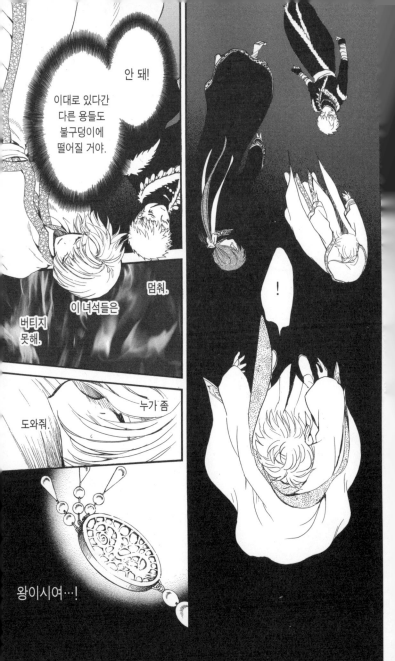

나도…
꿨어요.

비룡성이
불길에
휩싸이는 꿈…

혹시….

지금도
가슴이
술렁거려요.

꿈을 꾼 건
전쟁이
시작되기
전이지만,

지금
공도 쪽에서
봉화가 올랐다.

주도 장군,
지금은
경황이 없으니
나중에….

?!

계숙
참모.

비룡성에
불이
났습니까?!

뭐…?

비룡성?

…
잠깐.

공도에 이변이
일어난 것
같다고
보초가….

아니…
자세한 건
모른다.

뭐가
어째…?

비룡성이

나도 꿈이 틀렸으면 좋겠지만,

하지만 연화 공주님과 네 용이 꿈을 꿨다고 해서….

비룡성이요…?!

공도에서 무슨 일이 벌어지고 있는 건 사실이에요.

남계군이 공도에 침입한 겁니까?!

…습격일 가능성이 높겠군요.

설마 비룡성이 함락됐을 리가….

고화국의 중심부마저 적에게 유린당하다니.

폐하!
당장
병사를 이끌고
돌아가야
합니다.

…….

…배고프지
않나요?

병사들에게
야식을 배급하고
오늘은 이만
주무세요.

일단
식사부터
할까요?

예…?

성안에 대군이
침입했다고 보긴
어렵습니다.
상대는 아마
소수겠죠.

폐하!

여기서 성까지
행군하려면
빨라야 이틀.

지금 가 봤자
불을 끄는
못해요.

아직
함락되지
않았을
거예요.

예.

비룡성 문제는…
일반 병사들이
동요하지 않도록
각 부대에
잘 전달해 주세요.

…문제
없습니다.

…그저보다
….
……

…뭐죠?

몸은
어때?

학은 지금
쉬고 있어.
아직 회복하려면
멀었으니까.

…연화.

응.

윤은
괜찮아.

그 녀석은
똑똑해서
괜찮겠지만.

윤이
걱정돼.

반드시.

돌아와
줬으니까…

학도

공주님?

…학.

사실…

내 어머님은
신전의
무녀였어.

미래를
예언해
왔어….

어머님은
미래가 보이는
신비한 능력이
있어서…

……?

왜냐면

비룡성 외에도
뭔가를…
봤나요?

비룡성
외에도

내가
봤는걸.

비룡성의
꿈을 꾼 게
그 능력
이라고…?

…
모르겠어.

그래.

절대로.

아직

포기하기엔
이르다고

언제나
이 손이
나에게
가르쳐
준다.

그래.

그렇게
놔두지 않을
거야…!

성의 가호는
약해졌지만
사라진 게 아니야.
지하에 있는
비룡왕의 사당은
무사할 거야.

낭자.

정말?

교아, 여기 있었네요.

하늘의 부족은 하나같이 태평한 놈들뿐이군. 고화국의 상징인 비룡성에 무슨 일이 벌어졌는지….

?!!

파발마는 아직 인가?!!

네, 아직….

방류

여… 연화 공주님. 여긴 어쩐 일로….

성의 소식이 궁금해서요.

당신도?

당연하지. 35번대는 중요한 보급 담당이니까.

오오, 너희도 왔구나.

어라? 학이다.

저건 선서구야?

아뇨, 그냥 비둘기입니다

네… 저는 그 성에서 몇 달간 장군의 소양을 배웠기에 제2의 고향으로 여기고 있습니다.

윤…!

윤, 너.

만나서 다행이다.

무사 했구나?!

누구냐, 그 녀석?

무리해서 상처가 벌어졌어 ….

베틀

괜찮아?!

하

하

제231화/END

메이냥이
끌려갔다고?!

지금
공도의 병사와
백성들이
수습하고
있지만,

부상자도
많아.

하아

하아

역시…

그래,
큰일이야.
비룡성에
불이 나서…

그럴
시간이
없어,
뇌수!

잠깐
기다려.
일단 좀
쉬어.

윤…

죽을지도
몰라…

아무튼
메이냥을
뒤쫓아야
돼.

뇌수가
살아
있어!!

사, 살아
있었어.

네?

바보야!
맨날
걱정만
끼치고!!

아니,
괜찮을
거라고
생각했어!
생각하긴
했지만!!

맞아!
학은 무사해.
물살에
휩쓸리고도
살아 있었어.

앗

바로
알리지
못해서
미안해

...
이봐.

미안

남계
제국군
야영지.

카지.

너도
그런 말을
할 수 있게
됐구나

배려해
주셔서
감사합니다
....

비틀

히탄
장군...

식사를
가져왔다.

왜?

갑자기 쫓아와서는 주머니를 빼앗아서 가 버렸으니까요 ....

글쎄요 ....

모릅니다 ....

너를 다치게 한 놈은 크라우와 란과도 싸웠던 놈이라던데. 정체가 뭐야?

메이냥 님은 괜찮아. 조만간 바알도 합류할 테니까. 너는 후방에서 대기하고 있어.

그래도 메이냥 님은 반드시 되찾겠습니다 ....

이 몸으로는 다음 전투 때 버티지 못할 겁니다 ....

엉망진창 이야.

솔직히 싸울 수 있는 상황은 아니지만, 후퇴명령이 떨어지지 않는다.

빨리 돌아와, 바알!!

실례합니다.
히탄 장군,
카지 장군.

차골 전하께서
오셨습니다.

란인가?
무슨
일이냐?

아뇨…
그것이

차골
전하가?!
유경
(酉京)에서
이곳에?!

비룡성에서
메이냥 님과 함께
귀환하셨다고….

설마 전하께서
성 밖으로
나오실 줄이야.

당치도
않습니다.

내가 왔는데
별로 반기지 않는
얼굴이군.

그런데…
크라우가
죽었다지?

어리석지만
귀여운
처남이었다.

어떤 놈이
죽었느냐?

예….

학이라는
남자입니다.

학….

단언컨대
고화국의 기둥이자
최강의 무인이라고
말할 수 있습니다.

저… 저기, 차골 전하…

발언을 허락해 주십시오….

8대 장군의…!

그 녀석의 목을 따 온다면 큰 상을 내리겠다.

부장군 이하의 병사에게는 크라우의 자리를 내주마.

……

말하라.

고양이는 마차에서 쉬고 있다.

메이냥 님은 무사하십니까…?

바알 장군은 언제쯤 전장에 합류할 수 있습니까?

차골 전하.

죄송합니다….

네가 신경 쓸 일이 아니야.

어디 편찮으신 데라도…?

메이냥…

님…?

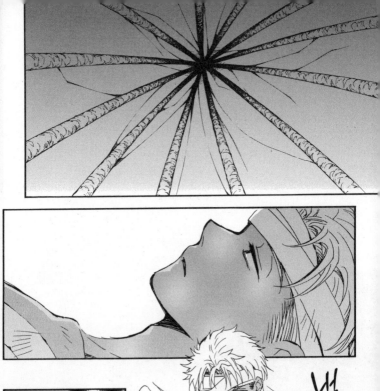

여긴?!

칼이 없다.

윽!

파앗

잠깐~~!!

내 말 안 들으면 가만두지 않겠어.

이렇게 된 이상, 바알도 내 환자야.

이거 먹고 얌전히 있어.

달그락

왜 싸워? 죽고 싶어?!

엉엉... 엉엉...

제일 말 안 듣고 싸돌아다니는 건 너잖아.

윤의 말은 절대적이야.

거봐, 움직이지 말랬지?

연화 공주님과
뇌수가
바알이라는 사내와
함께?

메이냥 님을
구하러…
남계에 가신다는
말씀입니까?

가지 않으면
안 될 것 같은
기분이 들어요.

…왜죠?

네.

그녀는 수원과 같은 병을 앓고 있어요.

적의 손에 넘어가면 위험하지 않나요?

그건 대답이 안 됩니다

차골은 지금부터 본격적으로 고화국을 침략할 겁니다.

포로 한 명을 되찾기 위해 당신이 직접 나서겠다는 겁니까?

메이냥 님이 발설할 가능성을 생각한다면, 차라리 죽어 주는 게 낫습니다.

내가 필요해요?

본격적인 전쟁을 앞두고 네 용이 부상을 입은 와중에 당신마저 자리를 비우면….

지원군은
올 거예요.

어쨌든 지금은
성에서 지원군을
부를 수도 없으니,
무익한 행동은
삼가 주십시오.

하지만
그쪽에서 순순히
응할 리가…

이미
요청했을
텐데요?

네…?

영냥,
오랜만~

코우렌
왕…!

고비
문제는
완벽하게
처리했다.

너희
덕분이야.

지원을
기대하긴
힘들 거라고
생각했는데….

당신이
와 줬군요.

코우렌
이라고
불러도 돼.
오랜만이군,
연화.

고마워요, 코우렌.

이번에는 진 나라가 힘을 빌려주마.

진 나라가 우리 군에 가세했다…!

저분이 바로 진 나라의 여왕…

연화 공주님과 친분이 있었나?

오오오

오길 잘했다.

도와주러 와 줘서 고마워. 엄청 든든하네.

요타가 옛나?

어라? 너는 진 나라의.

상처는 다 나았어?

일전에는 신세가 많았습니다.

학냥!

아르기라. 보르도.

수원, 계숙 참모.

까탈스러운 코우렌 왕의 입에서 저런 말이 나오게 하다니.

우리를 보내 줘.

지원군이 왔으니까

일단 안으로 들어오시죠.

……

안구는 손상되지 않았구나.

오.

눈이 보인다.

칼도 돌려줄게.

... 고마워.

네 옷은 넝마가 됐으니까 새 옷을 전해 주래.

윤이

......

그는 전장에서 병사들을 지휘하진 않지만, 비룡성에 직접 잠입해서 불을 지를 정도로 과시욕이 강한 인물입니다.

야영지?

그 녀석도 야영지에 있다는 건가?

그럼, 혹시 메이냥도....

그렇다면 야영지에 들러서 자신의 업적을 자랑하고자 하겠죠.

잘못 공격했다간 상황이 악화되겠지.

어쨌든 적의 소굴이고 네가 배신했다는 소식도 전해졌을 거야.

아마도.

아직... 아직 늦지 않았어?!

…수원.

…알겠
습니다.

최대한 빨리
메이낭 씨를
되찾아 오세요.

좋아,
나한테 맡겨

멍텅기라,
새겨들어

무리한 추격은
실패하면 삼가 주시고
즉시
퇴각하시길.

연화 공주만이라도 말렸어야 했습니다.

저는 냉정한 판단을 내린 것뿐입니다.

알고 있어요.

...계숙 참모는 그녀가 많이 걱정되나 보네요.

의외예요.

우리도 슬슬 다음 단계로 넘어가야죠.

남계
제국군
야영지.

… 카지냐?

잠시 들어가도 되겠습니까…?

히탄 장군…

펄럭

같이 계셨군요…

그래….

저도 그렇습니다….

지금까지 그런 낌새는 전혀 없었는데….

…바알이 배신했다는 게 도저히 믿기지 않아.

뭐가 어떻게 된 건지 모르겠어….

게다가 죽었다니….

두 분은
메이냥 님에 대해서
뭔가 알고
계십니까…?

……?

그건
그렇지만…

뭔가

신경이
쓰여서
…….

무사히
돌아오지
않으셨나요…?

머리도
짧아진 것
같았습니다…

얼핏 봤는데
완전히
넋이 나간
얼굴이었고…

왜죠?

그건
적의
주장이죠
….

하지만…
학 공이 말했을 텐데요.
메이냥 님은
구속당하지도 않았고
식사도 잘하셨다고.

역시 고화국에서
입에 담기도 힘든 일을
당하신 건 아닌지…

메이냥 님은 바알과 사이가 좋았다.

그자는 그런 거짓말은 안 합니다.

바알이 죽어서 정신적인 충격을 받으셨겠지.

그래 ….

그렇다면 더더욱… 바알 장군은 왜 배신한 겁니까…?

그 심정은 이해한다.

뵙지 못했 습니다 ….

메이냥 님의 상황이 궁금해서 몇 번인가 찾아갔지만…

메이냥 님 이라면 이유를 알지도 몰라…!!

메이냥 님은 분명 지치신 겁니다.

봉황궁으로 돌아가면 이 일에 대해서 다시 조사해 보죠.

하지만 메이냥 님이...

지금... 만나는 건 어렵겠지.

카지 장군.

그치만 ....

카지...

지금은 기다려라.

실례하겠 습니다....

차골
전하의
천막….

저 안에
메이냥
님이….

무슨 수를
써서라도
들어가고
싶어….

반장.

저건….

누가
나왔다….

죄송합니다. 안에서 보고 들은 것은 발설할 수 없습니다.

반장.

아, 카지 장군.

차골 전하의 천막에는 무슨 일로 온 거야?

의료반 반장

그건 걱정하지 마. 나도 전하의 명령으로 나중에 술을 가져다드려야 돼…

……

그럼… 메이냥 님께는 술을 권하지 마세요.

왜…?

아아, 그러셨군요.

무례를 범하면 안 되니까 주의할 점을 물어보고 싶어서….

펄럭

들어가.

의료반에서
메이냥 님께 드릴
탕약을
가져왔습니다….

실례
합니다.

두근

두근

두근

아무도
없어….

…그렇게 말하고
들어왔는데.
어디 나가셨나…?

반장,
내가 가는 김에
탕약도
전해 드릴게….

내 고양이에게
뭐 하는 짓이냐,
쥐새끼?

제233화/END

제234화 「※호혈호자(虎穴虎子)」

※호랑이 굴에 들어가야 호랑이 새끼를 잡는다.

란, 카지 못 봤나?

네, 무슨 일 있습니까?

귀찮은 놈들이 왔군.

만데 님, 산데 님.

히탄 장군, 란 장군.

그 녀석… 아까 얘기하고 나서 침소로 돌아가지 않은 모양인데. 왜지 불길한 예감이 들어…

귀족 나리의
전쟁 견학만큼
성가신 게
없지.

감사
합니다.

압도적인
무력.

남계 제국군이
열세라고 들어서…
우리가
사병을 이끌고
가세하러 왔다네.

수공전 때 차라리
목숨을 잃었으면
전하의 노여움을
사는 일도
없었을 텐데.

실례.

손해는
반드시
배상하겠
습니다.

란 장군,
자네의 수공 작전에
얼마나 많은 돈을
투자했는지
알고 있나?

그자는
구속당했네.

아아,
카지 장군을
찾고 있나?

저희는
급한 일이
있어서
이만….

이 어둠 속에서 병사를 움직이다니!!

허허.

아직도 병력이 저렇게 남아 있었나?

어… 엄청난 숫자다…!

기다리십시오!

아니, 아니. 저에게 맡기시죠.

드디어 전쟁이 시작됐군. 내 사병을 보내서 휩쓸어 주마.

둘이서 경쟁하러 온 건가!

쿵

쿡…

비켜! 만데 님께는 질 수 없다.

무슨 말인가? 자네에게 맡기면 또 실패나 하겠지.

우선 제 부대가 먼저….

섣불리 움직이면 위험합니다.

…설마

내 군대가 고작 횃불을 들고 걷는 일에만 쓰이다니.

중요한 역할입니다, 코우렌 왕.

지금쯤 출입구는 병사들로 꽉 막혀 있을 겁니다.

즉, 갑작스러운 출격에 대응하기 어려운 구조라고 할 수 있죠.

바알 씨의 말에 의하면 야영지는 나무벽으로 둘러싸여 있다고 했습니다.

적의 야영지는 상당히 견고하다고 들었는데?

최대한 빨리
이 전쟁을
끝내고 싶어.

수원,
우리가
작전을 진행하는 동안
병사를 움직여 줘.

네 용
분들도
상태가
좋지
않아요.

솔직히
메이냥 씨를
되찾는 건
번거로운
일입니다.

연화 공주가
제안하고
폐하께서
보완하신
작전이죠.

'무리한
추격은
삼가라'고
말씀하지
않으셨던
가요?

하지만

그녀의 힘을
믿어 보는
수밖에.

제 의견과
일치하니까.

전쟁을
빨리 끝내고
싶다는 건

출입구가
혼잡해….

신아,
어때요?

기다려
….

좋았어.
해 볼까?

병사들은
고화국의 횃불에
정신이
팔려 있어요.
이 틈에
들어가죠.

이상하다….
히탄 장군이라면
좀 더 능숙하게
대처할 텐데.

내가
갈게.

아무리 그래도 내가 무슨 메뚜기냐?

한 명씩 해

이 벽은 네가 아니면 못 넘잖아.

옳지. 됐다.

뛰어

충분히 할 수 있어.

잠깐 기다려.

보면 볼수록 대단하다니까~.

뭐야? 날았....

어?

썩

탕

나 원.

으.

그럼 키쟈, 한 명씩 옮겨 줄….

병사는 없는 것 같아.

휴ㅡ

끄아악!

유제존

윤은 고화국 진영에서 대기 중

윤이 없으니까 딴지 걸 사람이 없네요.

연화, 사람을 잘못 골랐어.

이 녀석들

이제 더 빨라.

내가 조용히 옮겨 준다는데, 왜 쓸데없이 소란을 피우는 거야?!

그런 뜻이 아니야.

네 용은 인간이 아닌 건가…?

바알.

메이냥은 어디 있지?

손이 거대해졌다!

일단 제일 큰 천막이나 경비가 삼엄한 곳을 찾아보자.

하다못해 차골의 위치라도 알아내면….

여기 있는지 없는지도 확실하지 않아.

여기서 큰 소리가 이쪽 입니다. ….

쿵쾅쿵쾅

찾았어요?

제일 안쪽에 큰 천막이 있어.

너희, 앓아누웠던 것 치고는 팔팔하네.

그러게 말이야.

제 생각에는 공주님이 곁에 계셔서 힘이 유지되고 있는 것 같습니다.

반동이 그렇게 심하진 않아….

신아도 마비 증세는 없나요?

손이 불타는 것처럼 뜨겁더니 어느새 사그라들었다.

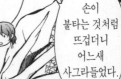

?!

아니.

도로모스가
달아난 곳에

멈춰.

그 녀석을
쫓아가면
죽는…

신아에겐
쫓아
가요.
보여요.

거기 있는 건
누구십니까?

차골이
있나…?!

제234화/END

SPECIAL THANKS   신세를 지고 있습니다

작업을 도와주신 어시스턴트 → 미코톤 님, 사쿠라 쿄 님, C.F 님, 쿄 님, 여동생.
담당자 → 하세가와(쇼)님, 역대 담당자님, 하나토유메 편집부 여러분.
이 책의 판매를 담당해 주신 모든 분들. 인쇄소분들. 서트분들.
이 책과 관련된 상품을 제작해 주신 모든 분들.
언제나 응원해 주고 지지해 주는 가족과 친구.
지금까지 쭉 읽어 주신 독자님들,
최근에 읽기 시작하신 독자님들. 모두 다 정말 고마워요…!!

생각지도 못했던 40권입니다.
2023년에도 아무 탈 없이 만화를 그릴 수 있길.

후기

재하에게 응석을 부리고 있어

어머—

학은 오랜만에 동료들과 같이 다녀서 기뻐 보이네요.

40권입니다. 읽어 주셔서 감사합니다.

운동도 해야 되는데 매일 하는 건 어려워요

악사나 심부전의 위험이 있다고 합니다

원고 작업 중에는 '그리는 것' 말고는 거의 아무것도 안 하기 때문에 다 끝나고 나서 목욕하는 게 낙이었지만, 밤샘 후의 목욕은 위험하다고 들어서 요즘은 우선 잠부터 자고 있어요.

그런 치열한 원고 작업을 도와주시는 어시님들께 진심으로 감사드립니다.

정신을 차려 보면 어시님들이 돌아간 불 꺼진 방에서 의자에 앉아 있거나

→ 한참을 깨우다가 포기했다고….

기절하듯 곯아떨어짐↓

↑ 작화에 쏟을 시간이 부족해서 좌절하거나

좀 더 정성껏 그리고 싶은데

고양이 너무 이상해

하나토유메의 Q&A에서 Q. '원고가 완성됐을 때의 기분은?' A. '드디어 잘 수 있다! 먹을 수 있다! 씻을 수 있다!'라고 대답했는데, 곰곰이 생각해 보니까 최근에 저는

이불 속에 들어가게 해 달라고 어필

그래도 들여보낸다

지금?

1시간의 소중한 쪽잠

마감 전날

하필 이럴 때?

평소에는 별로 다가오지 않는 고양이가 꼭 바쁠 때만 들러붙는다

파닥파닥

발을 열심히 움직이고 있는데 앞으로 안 나감

파닥

혼란한 작업실

그 소리에 놀라서 미끄러지듯이 도망치는 파루.

와장창

원고

원고에 차를 엎지르는 카부.

나 역시 사고를 친다.

벌컥

자, 들어가.

카부, 화장실 가고 싶어?

41권도 잘 부탁 드립니다.

천천히 볼일 봐!

안에 있는 줄 몰랐어

미안해, 파루.

펄쩍 뛰어다닌다

파닥 파닥

미안!!

파닥 파닥

후기/END

MAY
QUEEN
COMICS
4674

새벽의 연화 40

2023년 9월 15일 초판인쇄
2023년 9월 25일 초판발행

저   자 : MIZUHO KUSANAGI
역   자 : 이상은
발 행 인 : 정동훈
편 집 인 : 여영아
편집책임 : 황정아 노혜림
미술담당 : 김진아
발 행 처 : (주)학산문화사

서울특별시 동작구 상도로 282 학산빌딩
편집부 : 828-8988, 8838   FAX : 816-6471   영업부 : 828-8986
1995년 7월 1일 등록 제3-632호
http://www.haksanpub.co.kr

ISBN 979-11-411-1179-3 07650
ISBN 978-89-258-7276-6(세트)

값6,000원